U0100997

孫子兵法

原文譯文

書法版

原著 〔春秋〕孫武

譯注 郭化若

書法 啟 笛（袁守啟）

審定 中國東方文化研究會

榮寶齋

原文　夫兵形象水，水之形避高而趨下，兵之形避實而擊虛，水因地而制流，兵因敵而制勝。故兵無常勢，水無常形，能因敵變化而取勝者，謂之神。

譯文　作戰方式有點象水，水運動的規律是避開高處而向下奔流，作戰的規律是避開敵人堅實的地方而攻擊敵人的弱點，水因地形而制約它奔流的方向，作戰則

根據敵情而決定取勝的方針。所以作戰沒有固定的方式，就象水沒有固定的形態一樣。能根據敵情變化而取勝的，就叫做用兵如神。

原文　故五行無常勝，四時無常位，日有短長，月有死生。

譯文　五行互生互制，沒有哪一個固定獨勝；四時相接相代，沒有哪一個固定不

移，晝有長短，月有圓缺。

軍爭篇第七

譯者提要　本篇以軍爭命名，意指敵我兩軍爭勝爭利，主要論述敵對雙方戰略展開中互相爭取先敵到達或占領戰略要地，先敵展開於有利地形上布成有利態勢，先察明敵人弱點，以便出其不意，先發起進攻。篇內為了闡述軍爭，也講到行軍問題，地形道路的調查

圖述東

人認以論

派體夫相

中可相與

西連東驛

驛指與

連

孫繡在求流豆在圖爲。

和向導的使用。

原文 孫子曰：凡用兵之法，將受命於君，合軍聚衆，交和而舍，莫難於軍爭。軍爭之難者，以迂爲直，以患爲利。故迂其途，而誘之以利，後人發，先人至，此知迂直之計者也。

譯文 孫子說：凡是用兵的規律，主將接受國君命令，從動員組織民衆，編制成軍

隊到同敵人對陣，在這過程中没有比戰略前進中爭取先機之利更困難的。爭取先機之利之所以困難，是因爲要把從表面看是遥遠的迂回的彎路，變爲實際上是近便的直路，是要把困難變成有利。所以故意迂回繞道，并用小利引誘敵人，這樣就能比敵人後出動而先到達所要爭奪的戰場要地，這就是懂得以迂爲直的計謀的。

原文　故軍爭為利，軍爭為危。舉軍而爭利，則不及；委軍而爭利，則輜重捐。是故卷甲而趨，日夜不處，倍道兼行，百里而爭利，則擒三將軍，勁者先，疲者後，其法十一而至；五十里而爭利，則蹶上將軍，其法半至；三十里而爭利，則三分之二至。是故軍無輜重則亡，無糧食則亡，無委積則亡。

譯文　所以爭取先機之利是有利的，

同時爭取先機之利也是有危險的。如果全軍帶着裝備輜重去爭利，這樣行軍遲緩就不能及時到達預定地域；如果放下重裝備和輜重去爭利，裝備輜重就會丟失。因此，卷起盔甲，輕裝急進，晝夜不停，加倍行程來趕路，走上百里去爭利，如果遇到意外情況，那末三軍將領都可能被俘，隊伍強壯的先到，疲弱的掉隊，其結果只會有十分之一的人

馬趕得到；走五十里去爭利，如果遇到情況先頭部隊的將領會受挫折，隊伍只有半數趕得到；走三十里去爭利，可能有三分之二趕得到。要知道軍隊沒有隨軍輜重就不能生存，沒有糧食接濟就不能生存，沒有物資補充就不能生存。

原文　故不知諸侯之謀者，不能預交；不知山林、險阻、沮澤之形者不能行軍；不用鄉導者，不能得地利。

譯文　不了解列國政治動向的，不能預定外交方針；不熟悉山林、險阻、水網、沼澤等地形的，不能行軍；不重用向導的，不能得到地利。

原文　故兵以詐立，以利動，以分合為變者也。

譯文　軍隊是用詭詐的方法隱蔽自

己的意圖，根據有利的情況決定自己的行動，把分散和集中兵力作為戰略戰術的變化的。

原文 故其疾如風，其徐如林，侵掠如火，不動如山，難知如陰，動如雷震。

譯文 所以軍隊的行動迅速起來象疾風，舒緩的時候象森林，攻擊起來象烈火，不動的時候象山嶽，難以窺測象陰天看不見日月星辰，一動起來象迅雷不及掩耳，閃電不及瞬目。

原文 掠鄉分衆，廓地分利，懸權而動。

譯文 擄掠鄉邑，分配俘虜來的人衆，擴張領土，分配掠奪來的資源，衡量利害得失，然後決定行動。

原文 先知迂直之計者勝，此軍爭之法也。

譯文 事先懂得以迂為直的計謀的就勝利，這就是爭奪先機之利的原則。

原文 軍政曰：言不相聞，故為鼓金；視不相見，故為旌旗。夫鼓金旌旗者，所以一人之耳目也；人既專一，則勇者不得獨進，怯者不得獨退，此用眾之法也。故夜戰多火鼓，晝戰多旌旗，所以變人之耳目也。

譯文 軍政說：因相互間聽不見講話，

所以設置鑼鼓；相互間看不見動作，所以設置旌旗。鑼鼓、旌旗，是統一軍人耳目的，人們的視聽既然一致，那末勇敢的就不能單獨前進，怯懦的也不能單獨後退了，這就是指揮大部隊作戰的方法。所以夜間作戰多用火光和鼓聲，白天作戰多用旗幟，這些不同的指揮訊號是為了適應人們的視聽而變動使用的。

原文　故三軍可奪氣，將軍可奪心。是故朝氣銳，晝氣惰，暮氣歸。故善用兵者，避其銳氣，擊其惰歸，此治氣者也。以治待亂，以靜待嘩，此治心者也。以近待遠，以佚待勞，以飽待飢，此治力者也。無邀正正之旗，勿擊堂堂之陣，此治變者也。

譯文　對於敵人的軍隊，可以打擊它的士氣，對於敵人的將領，可以攪亂他的決

心。早晨朝氣飽滿，當午逐漸懈怠，傍晚就疲乏思歸了。所以善於用兵的人，要避開敵人初来時的銳氣，等待敵人鬆懈疲憊時再去打它，這是掌握軍隊士氣的方法。用自己的嚴整等待敵人的混亂，用自己的鎮靜等待敵人的輕躁，這是掌握將領心理的方法。用自己部隊的接近戰場等待敵人的遠道迎戰，用自己部隊的安逸休整等待敵人的奔

走疲勞，用自己部隊的飽食等待敵人的飢餓，這是掌握軍隊戰鬥力的方法。不去攔擊旗幟整齊配備周密的敵人，不去攻擊陣容堂堂實力强大的敵軍，這是掌握機動變化的方法。

原文　故用兵之法，高陵勿向，背丘勿逆，佯北勿從，鋭卒勿攻，餌兵勿食，歸師勿遏，圍師遺闕，窮寇勿迫，此用兵之法也。

譯文　用兵的法則：敵軍占領山地不要去仰攻，敵軍背靠高地不要去正面攻擊，敵軍假退卻不要去跟踪追擊，敵軍精鋭所在不要去攻擊，敵軍用小利誘我不要上鈎，敵軍退回本國不要去攔截，包圍敵人要留個缺口，敵軍已到絶境可能拚命時，不要急於迫近。這是用兵的法則。

九變篇第八

譯者提要　本篇講各種特殊情況的機斷措施。九泛指多，變指不按正常原則處置。篇内内容錯雜，先講五種地形，次講五種情況及根據當時具體形勢而應作的靈活應變，再次指出智者之慮必雜於利害，再次論戰略上指揮諸侯的方法，再次强調有備無患，最後提出

将有五危的警告。

原文　孫子曰：凡用兵之法，将受命於君，合軍聚衆，圮地無舍，衢地交合，絶地無留，圍地則謀，死地則戰。

譯文　孫子說：凡是用兵的法則，主将接受國君的命令，動員組織民衆編制成軍隊出征，在圮地上不可舍營，在衢地上應結

交諸侯，在絶地上不可停留，遇到圍地就要巧出計謀，陷入死地就要堅决奮戰。

原文　塗有所不由，軍有所不擊，城有所不攻，地有所不争，君命有所不受。

譯文　道路有的雖可走而不走，敵軍有的雖可打而不打，城堡有的雖可攻而不攻，地方有的雖可争而不争，國君的命令有的雖可受而不受。

【九變篇第八】

原文　故將通於九變之利者，知用兵矣；將不通於九變之利者，雖知地形，不能得地之利矣；治兵不知九變之術，雖知五利，不能得人之用矣。

譯文　將帥能精通以上各種機變的運用，就是懂得用兵了；將帥不精通以上各種機變的運用，雖然了解地形，也不能得到地利。指揮軍隊不知道各種機變的方法，雖

將知道五利，也不能充分發揮軍隊的戰鬥力量。

原文　是故智者之慮，必雜於利害。雜於利，而務可信也；雜於害，而患可解也。

譯文　聰明將帥的思考，必須兼顧到利害兩方面的條件。在不利情況中要同時看到有利條件，才能提高勝利信心；在順利情況中要同時看到危害的可能，才能解除

可能發生的禍患。

原文　是故屈諸侯者以害，役諸侯者以業，趨諸侯者以利。

譯文　要使各國諸侯的力量不能伸展，就要用計謀去傷害它；要使各國諸侯忙於應付，就要用它不得不做的事業驅使它；要使各國諸侯被動奔走，就要用小利去引誘它。

榮寶齋

原文　故用兵之法，無恃其不來，恃吾有以待也；無恃其不攻，恃吾有所不可攻也。

譯文　用兵的法則，不要指望敵人不来打，而要依靠我們有了准備等待；不要指望敵人不進攻，而要依靠我們有了使敵人進攻不下的力量和辦法。

原文　故將有五危：必死，可殺也；必生，可虜也；必速，可侮也；廉潔，可辱也；愛民，可煩

也。凡此五者，將之過也，用兵之災也。覆軍殺將，必以五危，不可不察也。

譯文　將帥有五種性格上的缺陷造成的危險：只知死拚會被殺，貪生怕死會被俘，急躁易怒則經不起刺激，廉潔自愛則受不了侮辱，愛護居民則會因掩護居民而遭受煩勞。這五種危險，是將帥的過錯，也是用兵的災害呀。軍隊覆滅，將帥被殺，都由於這

五種危險引起，是不可不驚惕的。

行軍篇第九

譯者提要　本篇主要内容是講行軍、駐軍舍營或露營和征候判斷。大概由於斷簡，本篇中各段各句秩序有些零亂。

原文　孫子曰：凡處軍、相敵：絕山依谷，視生處高，戰隆無登，此處山之軍也。絕水必

遠水，客絕水而來，勿迎之於水內，令半濟而擊之，利；欲戰者，無附於水而迎客，視生處高，無迎水流，此處水上之軍也。絕斥澤，惟亟去無留，若交軍於斥澤之中，必依水草，而背眾樹，此處斥澤之軍也。平陸處易，而右背高，前死後生，此處平陸之軍也。凡此四軍之利，黃帝之所以勝四帝也。

譯文

孫子說：凡軍隊在各種地形上

行軍篇第九

的處置和判斷敵情時，應該注意以下原則：通過山地，必須靠近山谷，駐在高處，使前面視界開闊，敵人占領高處，不宜去仰攻，這是在山地上軍隊的處置。橫渡江河，應遠離水流，敵人渡水而來，不要迎擊它於水上，讓它渡過一半時去攻擊它，才有利；想決戰的，不要緊靠水邊抗擊敵人，沿河駐扎軍隊也應駐在高處，使前面視界開闊，不要面迎水流，

這是在江河上軍隊的處置。通過鹽碱沼澤地帶，要迅速離開，不可逗留；如果同敵軍相遇於鹽碱沼澤地帶上，那就必需靠近水草而背靠樹林，這是在鹽碱沼澤地帶上軍隊的處置。在平原上應占領開闊地域，主要的翼側和後方應倚托高地，前低後高，這是在平原地上軍隊的處置。掌握這四種利用地形的原則，就是黃帝之所以能戰勝其四周部落的原因啊！

原文　凡軍好高而惡下，貴陽而賤陰，養生而處實，軍無百疾，是謂必勝。丘陵堤防，必處其陽，而右背之。此兵之利，地之助也。

譯文　凡是駐軍總是選擇乾燥的高地，而避開潮濕的窪地；要求向陽，而回避陰暗；提近水草保持供應，駐扎高處；這樣軍中沒有各種疾病，也就是勝利的保證了。對於

丘陵堤防，應占領它向陽的一面，而把主要的翼側和後方倚托着它。這些對於用兵有利的措置，是利用地形作為輔助條件的。

原文　上雨，水沫至，欲涉者，待其定也。

譯文　上游下雨，水沫冲来，要徒涉的，應等待水流稍定，然後才徒涉。

原文　凡地有絶澗、天井、天牢、天羅、天陷、天隙，必亟去之，勿近也。吾遠之，敵近之；吾迎之，敵背之。

譯文　地形有絶澗、天井、天牢、天羅、天陷、天隙，遇上這些地形，必須迅速離開，不要接近。我們應遠離這種地形，讓敵人去靠近它；我們應面向着它，而讓敵人去背靠着它。

原文　軍行有險阻、潢井、葭葦、山林、翳薈者，必謹復索之，此伏姦之所處也。

譯文　進軍路上遇有懸崖絶壁的隘

路、湖沼、水網、蘆葦、山林和草木茂盛的地方，必須謹慎地反復搜索，這些都是敵人可能設下埋伏或隱蔽偵察的地方。

原文　敵近而靜者，恃其險也；遠而挑戰者，欲人之進也；其所居易者，利也。

譯文　敵人逼近而安靜的，是依靠他占領地形的險要；敵人遠離而來挑戰的，是想誘我前進；敵人所占領的地形平坦的，是

行軍篇第九

有利扵同我決戰。

原文　衆樹動者，来也；衆草多障者，疑也；鳥起者，伏也；獸駭者，覆也；塵高而鋭者，車來也；卑而廣者，徒来也；散而條達者，樵采也；少而往来者，營軍也。

譯文　無風而許多樹木摇動的，是敵人蔭蔽前来；叢草中有許多障礙的，是敵人布下的疑陣；鳥飛起的，是下面有伏兵；獸駭

走的，是敵人隱蔽来襲；塵土高而尖的，是敵人的戰車来了；塵土低而寬廣的，是敵人的步兵來了；塵土疏散飛揚的，是敵人在砍柴曳柴；塵土少而時起時落的，是敵人正在扎營。

原文　辭卑而益備者，進也；辭强而進驅者，退也；輕車先出居其側者，陳也；無約而請和者，謀也；奔走而陳兵者，期也；半進半退

者，誘也。

譯文　敵人派來的使者措詞謙遜卻正在加緊戰備的，是准備進攻；措詞强硬而擺成前進姿態的，是准備後退；輕車先出動，部署在翼側的，是在布列陣勢；没有約會而來講和的，是另有陰謀；敵人兵卒奔走而擺開兵車列陣的，是期待同我决戰；敵人半進半退的，是企圖引誘我軍。

原文 杖而立者，飢也；汲而先飲者，渴也；見利而不進者，勞也；鳥集者，虛也；夜呼者，恐也；軍擾者，將不重也；旌旗動者，亂也；吏怒者，倦也；粟馬肉食，軍無懸缻不返其舍者，窮寇也；諄諄翕翕，徐與人言者，失衆也；數賞者，窘也；數罰者，困也；先暴而後畏其衆者，不精之至也；來委謝者，欲休息也。兵怒而相迎，久而不合，又不相去，必謹察之。

譯文 敵兵倚着兵器而站立的，是飢餓的表現；敵兵打水而自己先飲的，是乾渴的表現；敵人見利而不前進的，是疲勞的表現；敵人營寨上集聚鳥雀的，下面是空營；敵人夜間驚叫的，是恐慌的表現；敵軍驚擾的，是敵將不持重；旗幟搖動不整齊的，是敵人隊伍已經混亂；敵人軍官易怒的，是疲倦的表現；用糧食喂馬，殺掉拉輜重大車的牛吃

肉，收拾起炊具，部隊不返營舍的，是准備拚命突圍或逃跑的窮寇；低聲下氣同部下講話的，是敵將失去人心；不斷獎勵的，是敵軍没有辦法；不斷懲罰的，是敵人處境困難；先强暴然後又害怕部下的，是最不精明的將領；派来使者談判措詞委婉態度謙遜的，是敵人想休戰；敵軍憤怒向我前進，但久不交鋒又不撤退的，必須謹慎地觀察他的企圖。

【行軍篇第九】

原文　兵非貴益多也，惟無武進，足以并力、料敵、取人而已。夫惟無慮而易敵者，必擒於人。

譯文　兵力不在於愈多愈好，只要不盲目冒進，而能集中力量，判明敵情，選拔人才，就行啦。只有那種毫無深思熟慮而又輕敵的人，必定會被敵人所俘虜。

原文　卒未親附而罰之，則不服，不服

則難用也。卒已親附而罰不行，則不可用也。故令之以文，齊之以武，是謂必取。令素行以教其民，則民服；令不素行以教其民，則民不服。令素行者，與衆相得也。

譯文

兵卒還未曾親近依附之前就執行懲罰，他們會不服，不服就很難使用。兵卒已經依附，如果紀律不能執行，也不能用来作戰。所以要用文的懷柔手段去管理他們，用武的軍紀軍法使他們整齊一致，這就叫做必勝之軍。平素嚴格貫徹命令来管教兵卒，兵卒就能養成服從的習慣，平素不能嚴格貫徹命令來管教兵卒，兵卒就會養成不服從的習慣。命令平素能貫徹執行的，是表明將帥同兵卒之間相處得来。

地形篇第十

譯者提要　本篇主要内容：上半是論和作戰有密切關係的地形，孫子把它區分為六種，簡稱為六形，在作戰前必須認真精密研究，以為立勝前提；下半論軍隊必敗的六種情況，簡稱為六敗。篇末闡述愛兵之重要和將帥的責任心，都提出了卓越的命題。

地形篇第十

原文　孫子曰：地形有通者，有掛者，有支者，有隘者，有險者，有遠者。我可以往，彼可以來，曰通；通形者，先居高陽，利糧道，以戰則利。可以往，難以返，曰掛；掛形者，敵無備，出而勝之；敵若有備，出而不勝，難以返，不利。我出而不利，彼出而不利，曰支；支形者，敵雖利我，我無出也；引而去之，令敵半出而擊之，利。隘形者，我先居之，必盈之以待敵；若敵先居之，

地形篇第十

盈而勿從，不盈而從之。險形者，我先居之，必居高陽以待敵；若敵先居之，引而去之，勿從也。遠形者，勢均，難以挑戰，戰而不利。凡此六者，地之道也，將之至任，不可不察也。

譯文

孫子說：地域形狀有通、掛、支、隘、險、遠等六形。我們可以去，敵人可以來的地域，叫做通。在這種通形的地域上，應先占領視界開闊的高地，溝通并保護糧道，這樣作戰就有利。可以前進，難以後退的地域叫做掛。在這種掛形的地域上，如果敵人沒有防備，就可以突然出擊而戰勝它；如果敵人有防備，出擊而不能取勝，又難以退回，就不利了。我軍前出不利，敵軍前出也不利的，叫做支。在這種支形的地域上，縱然敵人利誘我們，我們也不要前出，可引兵離去，讓敵人前出一半，然後回擊它，這樣就有利。在隘形的

地域上，如果我們先到達，必須前出占領隘口，等待敵人来犯；如果敵人先到達已前出占領隘口的，不要去打；没有占領隘口的，可以去打。在險形的地域上，如果我軍先到達，必須控制視界開闊的高地，以等待敵人來犯；如果敵人先到達，就應引兵離去，不要去打它。在遠形地域上，雙方形勢均等，不宜挑戰，勉强求戰就不利。這六條，是利用地形的

地形篇第十

原則，将帥重大責任所在，是不可不研究的。

原文　故兵有走者，有弛者，有陷者，有崩者，有亂者，有北者。凡此六者，非天之災，将之過也。夫勢均，以一擊十，曰走；卒强吏弱，曰弛；吏强卒弱，曰陷；大吏怒而不服，遇敵懟而自戰，将不知其能，曰崩；将弱不嚴，教道不明，吏卒無常，陳兵縱橫，曰亂；将不能料敵，以少合衆，以弱擊强，兵無選鋒，曰北。凡此六者，敗

之道也，將之至任，不可不察也。

譯文　軍隊有走、弛、陷、崩、亂、北等六種必敗的情況。這六種情況，不是天災，而是將帥的過錯造成的。凡是形勢強弱相等而以一擊十的，叫做走。兵卒強橫，軍官軟弱的，叫做弛。軍官橫蠻，兵卒懦弱的叫做陷。偏將憤怒而不服從，遇到敵人因心懷不滿而擅自帶領所屬部隊單獨出戰，將帥不了解他們

會幹什麼的，叫做崩。將帥懦弱不嚴，管教不明，官兵沒有規矩，出兵列陣時橫沖直撞的，叫做亂。將帥不能判斷敵情，用劣勢的兵力去對付優勢的敵人，用弱兵去打強敵，使用隊伍不會選擇精銳的，叫做北。凡有這六種情況，都是必然要造成失敗的。將帥的重大責任所在，是不可不研究的。

原文　夫地形者，兵之助也。料敵制勝，

地形篇第十

計險阨遠近，上將之道也。知此而用戰者必勝，不知此而用戰者必敗。

譯文　地形是用兵的輔助條件。判明敵人企圖，研究地形險易，計算道路遠近，制定取勝計劃，這是主將的職責。懂得這些道理去指揮作戰的，必然會勝利；不懂得這些道理去指揮作戰的，必然會失敗。

原文　故戰道必勝，主曰無戰，必戰可也；戰道不勝，主曰必戰，無戰可也。故進不求名，退不避罪，唯人是保，而利合於主，國之寶也。

譯文　從戰爭規律上看來必然會勝利的，雖然國君說不打，也可以堅持去打；從戰爭規律上看來不能打勝仗的，雖然國君說一定要打，也可以不去打。所以進不求名譽，退不避刑罰，只知道保護民衆而有利於

國君。這樣的將帥，是國家最寶貴的財產。

原文　視卒如嬰兒，故可與之赴深溪；視卒如愛子，故可與之俱死。厚而不能使，愛而不能令，亂而不能治，譬若驕子，不可用也。

譯文　對待兵卒象嬰兒，就可以叫他們去冒險；對待兵卒象愛子，就可以叫他們去拚死。如果厚待而不能指使，撫愛而不能命令，違法亂紀而不能治理，那就象驕子一

地形篇第十

樣，是不能用來作戰的。

原文　知吾卒之可以擊，而不知敵之不可擊，勝之半也；知敵之可擊，而不知吾卒之不可以擊，勝之半也；知敵之可擊，知吾卒之可以擊，而不知地形之不可以戰，勝之半也。故知兵者，動而不迷，舉而不窮。故曰：知彼知己，勝乃不殆；知天知地，勝乃可全。

譯文　了解自己的部隊能打，而不了

解敵人不可以打，勝利的可能只有一半；了解敵人可打，而不了解自己的部隊不能打，勝利的可能只有一半；了解敵人可打，也了解自己的部隊能打，而不了解地形之不利於作戰，勝利的可能也只有一半。所以懂得用兵的人，行動不會迷惑，措施卻又變化無窮，所以說，了解敵人，了解自己，勝利就沒有危險；懂得天時，懂得地利，勝利就可保完全。

九地篇第十一

譯者提要 本篇論述進攻敵國時，在不同戰地——九地的戰略問題。所謂九地，是指進攻敵國的深淺及所遇到的對戰略行動有影響的不同地區的戰略行動方針。在本篇反復說明由於九地的不同特點和作用，所應采取的不同作戰方針。强調要造成敵人弱點，爭

取主動，乘虛直入，行動迅速；要并氣積力，運兵計謀，要善扵指揮軍隊。要善扵掌握全軍，再又論述了将帥的工作作風；深入别國後的行動和行動的保密與機動。

原文

孫子曰：用兵之法，有散地，有輕地，有爭地，有交地，有衢地，有重地，有圮地，有圍地，有死地。諸侯自戰其地，為散地。入人之

【九地篇第十一】

地，而不深者，為輕地。我得則利，彼得亦利者，為爭地。我可以往，彼可以来者，為交地。諸侯之地三屬，先至而得天下之衆者，為衢地。入人之地深，背城邑多者，為重地。山林、險阻、沮澤，凡難行之道者，為圮地。所由入者隘，所從歸者迂，彼寡可以擊吾之衆者，為圍地。疾戰則存，不疾戰則亡者，為死地。是故散地則無戰，輕地則無止，爭地則無攻，交地則無絕，衢

地則合交，重地則掠，圮地則行，圍地則謀，死地則戰。

譯文

孫子說：按用兵的規律，地區在戰略上因位置和條件不同，對作戰將發生不同的影響，可分為散地、輕地、爭地、交地、衢地、重地、圮地、圍地、死地。諸侯在本國境內作戰的地區，叫做散地。進入別人國境不深的地區，叫做輕地。我軍得到有利，敵軍得到也

有利的地區，叫做爭地。我軍可以往，敵軍也可以來的地區，叫做交地。處在三國交界的先到就可以結交周圍諸侯取得多助的地區，叫做衢地。深入敵境，背後有很多敵人城邑的地區，叫做重地。山嶺、森林、險要、阻塞、水網、湖沼等難於通行的地區，叫做圮地。所由進入的途徑狹隘，所從退歸的道路迂遠，敵軍用少數兵力就可以攻擊我多數兵力的

地區，叫做圍地。迅速奮勇作戰就能生存，不迅速奮勇作戰就只有死亡的地區，叫做死地。因此在散地上，不宜作戰；在輕地上，不宜停留；遇爭地應先奪占要點，不要等敵人占領後再去進攻；逢交地，應部署相連，勿失聯絡；到衢地，則應加强外交活動，結交諸侯；深入重地，就要掠取糧秣，遇到圮地，就要迅速通過，陷入圍地，就要運謀設計；到了死地，

就要奮勇作戰，死裏求生。

原文　所謂古之善用兵者，能使敵人前後不相及，衆寡不相恃，貴賤不相救，上下不相收，卒離而不集，兵合而不齊。合於利而動，不合於利而止。敢問：敵衆整而將來，待之若何？曰：先奪其所愛，則聽矣。

譯文　古來善於指揮作戰的人，能使敵人前後部隊不能相策應，主力和小部隊

不能相依靠，官兵不能相救應，上下不能相收容，兵卒離散集合不攏，隊伍集合而不齊整。能造成有利於我的局面就打，就行動，不能造成有利於我的局面就停止。請問：假使敵軍衆多，而嚴整地向我前進，該怎樣對付它呢？回答説：先奪取敵人所心愛的有利條件，就能使它陷入被動而聽從我們調動了。

原文　兵之情主速，乘人之不及，由不

虞之道，攻其所不戒也。

譯文　用兵的意旨就是要迅速，乘敵人措手不及的時機，走敵人意料不到的道路，攻擊敵人沒有戒備的地方。

原文　凡為客之道：深入則專，主人不克；掠於饒野，三軍足食；謹養而勿勞，并氣積力，運兵計謀，為不可測。投之無所往，死且不北，死焉不得，士人盡力。兵士甚陷則不懼，無

所往則固，深入則拘，不得已則鬥。是故其兵不修而戒，不求而得，不約而親，不令而信。禁祥去疑，至死無所之。吾士無餘財，非惡貨也；無餘命，非惡壽也。令發之日，士卒坐者涕霑襟，臥者涕交頤。投之無所往者，諸、劌之勇也。

譯文　凡是進入敵國作戰的規律：深入敵境，則專心一致，使敵方不能抵抗；在豐饒的田野上掠取糧草，使全軍得到足夠的給養；注意保養士兵的體力，不使過於疲勞，提高士氣，集中力量，部署兵力，巧設計謀，使敵人莫測高深。把部隊投放在無路可走的地方，就只能拼死而不能敗退，既然士卒肯拼死，又哪有不得勝之理，上下也就能盡力而戰了。要知道兵士深陷危險的境地，就不恐懼，無路可走，軍心就會鞏固，深入敵國，行動就不敢散漫，迫不得已，就只好堅決戰鬥。

因此這種軍隊不待修整，都懂得戒備，不待鼓勵，都願意出力，不待約束，都能親密協力，不待申令，都會遵守紀律。禁止迷信，消除部屬的疑惑，至死也無處走。我軍士兵没有多餘的錢財，不是士兵們不愛財物；我軍没有貪生膽小的人，不是士兵們都不想長命。當作戰命令頒發的時侯，士兵們坐着的淚濕衣襟，躺着的淚流滿面。把他們投到除了向

前拚命再無别路可走的地方，就會有象專諸和曹劌一樣勇敢了。

原文

故善用兵者，譬如率然；率然者，常山之蛇也。擊其首則尾至，擊其尾則首至，擊其中則首尾俱至。敢問：兵可使如率然乎？曰：可。夫吴人與越人相惡也，當其同舟而濟，遇風，其相救也，如左右手。是故方馬埋輪，未足恃也；齊勇若一，政之道也；剛柔皆得，地之

理也。故善用兵者，携手若使一人，不得已也。

譯文

善於用兵的人，能使部隊象率然，率然是常山地方的蛇名。打它的頭，尾就來救應，打它的尾，頭就來救應，打它的腰，頭尾都來救應。請問：可以使軍隊象率然一樣嗎？回答說：可以。吳國人和越國人是相互仇恨的，但當他們同舟渡河遇到大風時，他們互相救援就象一個人的左右手。因此縛住馬匹，埋了車輪，企圖防止兵卒的逃亡，也是靠不住的；要使部隊一齊奮勇作戰，在於将帥領導的得法；要使強弱都能發揮作用，在於地形利用的適宜。所以善於用兵的人，能使全軍手牽手地象一個人一樣，這是因為使它不得不這樣啊！

【九地篇第十一】

原文

将軍之事，靜以幽，正以治。能愚士卒之耳目，使之無知；易其事，革其謀，使人

無識；易其居，迂其途，使人不得慮。帥與之期如登高而去其梯；帥與之深入諸侯之地，而發其機，焚舟破釜，若驅群羊，驅而往，驅而来，莫知所之。聚三軍之衆，投之於險，此謂将軍之事也。九地之變，屈伸之利，人情之理，不可不察。

譯文　将軍的處事，鎮靜以求深思，嚴正而有條理。能蒙蔽士兵的耳目，使他們對於軍事行動毫無所知。戰法經常變化，計謀不斷更新，使人們無法識破機關；駐軍常換地方，進軍多繞迂路，使人們推測不出意圖。主帥授給軍隊任務，要象登高而抽去梯子一樣使他們能進而不能退；率領軍隊深入諸侯國境，要象撥弩機而射出箭矢一般，使他們可往而不可返。燒掉渡船，打破飯鍋，象趕羊群，趕過去，趕過来，讓大家只知道跟着

走不知道要到哪裏去。聚集全軍兵卒，投放在危險的境地使他們不能不拚命作戰，這就是將軍的責任；進到各種不同地區的機變，能屈能伸地利用情況的發展，對各種人員心理的掌握，這些都是將帥不能不研究的。

原文　凡為客之道：深則專，淺則散。去國越境而師者，絕地也；四達者，衢地也；入深

者，重地也；入淺者，輕地也；背固前隘者，圍地也；無所往者，死地也。

譯文　進入敵國作戰的規律是：進入得深，兵卒就專心一致；進入得淺，就容易逃散。離開本國越境出兵的，就是進入了絕地；四通八達的叫做衢地；進入深的叫做重地；進入淺的叫做輕地；背後有堅固的城堡而前面進路狹隘的，叫做圍地；無處可走的叫

做死地。

原文　是故散地，吾将一其志，輕地，吾将使之屬；爭地，吾将趨其後；交地，吾将謹其守；衢地，吾将固其結；重地，吾将繼其食；圮地，吾将進其塗；圍地，吾将塞其闕；死地，吾将示之以不活。

譯文　因此，在散地上，就要使軍隊專心一致；在輕地上，就要部署連續；遇爭地，就

要急進抄到敵軍的後面；進交地，就要謹慎防守；到衢地，就要鞏固和鄰國的結交；入重地，就要補充軍糧；經圮地，就要迅速通過；陷入圍地，就要堵塞缺口；到了死地，就要表示拚死戰鬥的決心。

原文　故兵之情：圍則御，不得已則鬥，過則從。

譯文　兵卒的心理，被包圍就會抵抗，

迫不得已就會戰鬥，陷於十分危險的境地就會聽從指揮。

原文　是故不知諸侯之謀者，不能預交；不知山林、險阻、沮澤之形者，不能行軍；不用鄉導者，不能得地利。四五者，不知一，非霸、王之兵也。夫霸、王之兵，伐大國，則其眾不得聚；威加於敵，則其交不得合。是故不爭天下之交，不養天下之權，信己之私，威加於敵，故其城可拔，其國可隳。施無法之賞，懸無政之令，犯三軍之眾，若使一人。犯之以事，勿告以言；犯之以利，勿告以害。

譯文　不了解諸侯國計謀的，就不能預定外交方針；不熟悉山嶺、森林、險要、阻塞、水網、湖沼等地理形勢的，就不能行軍；不重用向導的，就不能得地利。這幾方面有一方面不了解，都不能成為霸、王的軍隊。凡是霸、

王的軍隊，進攻大國，就能使敵方的民衆和軍隊来不及動員集中；威力加在敵人頭上，就能使它不能同别國結交。因此不必要争着同哪一國結交，不必要隨便培養哪一國的勢力，只要伸展自己的意圖，把威力加在敵人頭上，就可以拔取敵人的城堡，毁滅敵人的國都。施行超越法定的奬賞，頒布打破常規的號令，驅使全軍兵衆就象指使一個

人一般。叫他們去執行任務，不必説明為什麽；叫他們去奪利，不告訴他們有危險。

原文　投之亡地然後存，陷之死地然後生。夫衆陷於害，然後能為勝敗。

譯文　把軍隊投放在亡地上，然後能保存；把兵卒陷入於死地，反而能得生。兵衆陷入危險的境地，然後才能操縱勝敗。

原文　故為兵之事，在於順佯敵之意，

并敵一向，千里殺將，此謂巧能成事者也。

譯文　指揮作戰的事，在於假裝順從敵人的意圖，卻集中兵力，朝一個方向進攻，長驅千里，殺其將領，這就是所謂巧妙能成大事呀！

原文　是故政舉之日，夷關折符，無通其使；厲於廊廟之上，以誅其事。敵人開闔，必亟入之。先其所愛，微與之期。踐墨隨敵，以決

【九地篇第十一】

戰事。是故始如處女，敵人開戶，後如脫兔，敵不及拒。

譯文　當決定戰爭行動的時候，就要封鎖關口，銷毀通行符證，不許敵國使者往來，在宗廟裏秘密地認真地謀劃這件大事。敵人一有空隙，就要迅速乘機而入，先奪取敵人的要地，不要同敵方約期會戰。實施作戰計劃時，要靈活地隨着敵情的變化作相

應的修改，來決定軍事行動。因此開始象處女一般沉靜，使敵人不注意防備，然後象脫兔一樣突然行動，使敵人來不及抵抗。

火攻篇第十二

譯者提要　本篇簡單地指出火攻對象、火攻時日及火攻與內應外合。因為在《孫子兵法》成書之前，很少大規模火攻的經驗在中國古代史上有名的火攻都出在三國，一是赤壁之戰，二是彝陵之戰，所以《孫子兵法》書中也總結不出什麼。篇末以亡國不可以復

存，死者不可以復生，警告明君良將。這是孫子又一慎戰的表現

原文　孫子曰：凡火攻有五：一曰火人，二曰火積，三曰火輜，四曰火庫，五曰火隊。行火必有因，烟火必素具。發火有時，起火有日。時者，天之燥也；日者，月在箕、壁、翼、軫也。凡此四宿者，風起之日也。

火攻篇第十二

譯文　孫子說：火攻有五種：一是火燒營寨，二是火燒積聚，三是火燒輜重，四是火燒倉庫，五是火燒糧道。實施火攻必須有條件，火攻器材必須經常準備着。放火要看天時，起火要看日子。天時是指季候的乾燥；日子是指月亮行經箕、壁、翼、軫四星宿的位置，月亮經過四星宿的日子，就是有風的日子。

原文　凡火攻，必因五火之變而應之。

火發於內，則早應之於外。火發而其兵靜者，待而勿攻，極其火力，可從而從之，不可從而止。火可發於外，無待於內，以時發之。火發上風，無攻下風。晝風久，夜風止。凡軍必知有五火之變，以數守之。

譯文　凡用火攻，必須憑藉這五種火攻的變化使用并用兵力配合它。從敵人內部放火，就要及時派兵從外部策應。火已燒

起而敵軍仍然保持安靜的，應等待一下，不可馬上發起攻擊，應加猛火勢，如果可以進攻就進攻，不可進攻就停止。如果從外面放火，就不必等待內應，只要適時放火就行。火在上風放，不可從下風進攻。白天風刮久了，夜晚就容易停止。軍隊必須懂得靈活地運用五種火攻的方法，并根據觀察有起風的征候時使用它。

原文　故以火佐攻者明，以水佐攻者强。水可以絶，不可以奪。

譯文　用火輔助進攻的，明顯地容易取勝；用水輔助進攻的，攻勢可以加强。水可以斷絶敵軍，但不能奪取積蓄。

原文　夫戰勝攻取，而不修其功者凶，命曰費留。故曰：明主慮之，良將脩之。非利不動，非得不用，非危不戰。主不可以怒而興師，将不可以愠而致戰；合於利而動，不合於利而止。怒可以復喜，愠可以復悦；亡國不可以復存，死者不可以復生。故明君慎之，良将警之，此安國全軍之道也。

譯文　凡打了勝仗，奪取了土地城邑，而不能達到戰略目的的，會遭殃，這叫做費留。所以說：明智的國君要慎重地考慮這件事，良好的將帥要認真地研究這件事。不是

有利不行動，不是能勝不用兵，不是危迫不作戰。國君不可因憤怒而發動戰爭，將帥不可因氣忿而出陣求戰。對國家有利才行動，對國家不利就停止。憤怒可以恢復到喜歡，氣忿可以恢復到高興；國亡了就不能復存，人死了就不能再生。所以明智的國君對此要慎重，良好的將帥對此要警惕；這是安定國家和保全軍隊的關鍵！

用間篇第十三

譯者提要　本篇首先着重論述了解敵人內部情況之重要，但因當時間諜才開始出現，尚欠經驗教訓。所以只能提出用間的重要性和五種間諜的名稱，保密的紀律，間諜的任務和使用反間之重要。最後談殷之用伊尹，周之用吕尚為例，其實兩人都不過是普通的老

百姓，不擔任任何官職，因而也不了解統治階級內部的情況，是不恰當的舉例。

原文

孫子曰：凡興師十萬，出征千里，百姓之費，公家之奉，日費千金。內外騷動，怠扵道路，不得操事者，七十萬家。相守數年，以爭一日之勝，而愛爵祿百金，不知敵之情者，不仁之至也，非人之將也，非主之佐也，非勝之主也。故明君賢將，所以動而勝人，成功出扵衆者，先知也。先知者不可取扵鬼神，不可象扵事，不可驗扵度，必取扵人，知敵之情者也。

用間篇第十三

譯文

孫子說：凡是興兵十萬，出征千里，百姓的耗費，公室的開支，每天要化費千金，全國內外動亂不安，運輸軍需物資的隊伍疲憊扵道路上，因而不能耕作的將有七

十萬家。這樣相持幾年，只為了爭一朝勝利，如果吝惜爵祿和金錢，不重用間諜，以致不能了解敵情而致失敗，那就是最不仁慈的人，就不是良好的將領，就不是國君的輔佐，就不是勝利的主帥。開明的國君、賢良的將帥，其所以動輒戰勝敵人，成功地超出衆人者，就在於事先了解情況。要事先了解情況，不可用祈求鬼神去獲取，不可用相似的事

用間篇第十三

情做類比推測吉凶，不可用夜視星辰運行的度數去驗證，一定要從知道敵人情況的人口中去取得。

原文　故用間有五：有因間，有內間，有反間，有死間，有生間。五間俱起，莫知其道，是謂神紀，人君之寶也。因間者，因其鄉人而用之。內間者，因其官人而用之。反間者，因其敵間而用之。死間者，為誑事於外，令吾間知之，

而傳於敵間也。生間者，反報也。

譯文　使用間諜有五種：有因間、內間、反間、死間、生間。五種間諜同時都使用起來，使敵人莫測高深，這是神妙的道理，是國君的法寶。所謂因間，是誘使敵方鄉人而利用他。所謂內間，是誘使敵方官吏而利用他。所謂反間，是誘使敵方間諜為我所用。所謂死間，是先散布假情況，使我方間諜知道，然後

傳給敵方，敵軍受騙，我間不免被處死。所謂生間，就是能活着回報敵情的。

原文　故三軍之事，莫親於間，賞莫厚於間，事莫密於間。非聖智不能用間，非仁義不能使間，非微妙不能得間之實。微哉！微哉！無所不用間也。間事未發而先聞者，間與所告者皆死。

譯文　所以在軍隊人事中，沒有比間

諜更親信的，獎賞沒有比間諜更優厚的，事情沒有比間諜更秘密的。不是高明智慧，不能利用間諜；不是仁慈慷慨，不能指使間諜；不是用心微妙，不能取得間諜的真實情報。微妙呀！微妙呀！無所不可以用間諜啊！間諜的工作尚未進行，先已傳泄在外，那末間諜和聽到秘密的人都要處死。

原文　凡軍之所欲擊，城之所欲攻，人

之所欲殺，必先知其守將、左右、謁者、門者、舍人之姓名，令吾間必索知之。

譯文　凡對要打的敵方軍隊，要攻的敵方城堡，要殺的敵方官員，必須先打聽那些守城將官、左右親信、掌管傳達通報的官員、守門官吏和宮中近侍官員等的姓名，使我們的間諜一定要偵察清楚。

原文　必索敵人之間來間我者，因而

利之，導而舍之，故反間可得而用也。因是而知之，故鄉間、內間可得而使也；因是而知之，故死間為誑事，可使告敵；因是而知之，故生間可使如期。五間之事，主必知之，知之必在於反間，故反間不可不厚也。

譯文　必須搜索出前來偵察我軍的敵方間諜，要用重金收買，優禮款待，誘導安置，使為我用，這樣反間就可以為我所用了。

由此而了解情況，這樣鄉間、內間就可以為我所用了；由此而了解情況，這樣就能使死間傳假情報給敵人；由此而了解情況，這樣就可使生間按預定時間回報敵情。五種間諜的使用，主持者都必須懂得。了解情況最主要的在於反間，所以對反間是不可不厚待的。

原文　昔殷之興也，伊摯在夏；周之興

也，吕牙在殷。故惟明君賢將能以上智為間者，必成大功。此兵之要，三軍之所恃而動也。

譯文　從前商朝的興起，伊尹曾經在夏；周朝的興起，姜尚曾經在殷。所以明智的國君，賢能的將帥，能用高級的有智慧的人做間諜的，一定能建樹大功。這是用兵重要的一着，整個軍隊是要依靠它来决定行動的呀！

歲在庚寅年冬月

書於北京　啟笛